Enfin voilà, cher journal, tout ça pour te dire, si tu as bien suivi, que je passe pas mal de temps à m'occuper de Fulgor.
Mais je ne me plains pas, hein ! C'est hyper-agréable, même, la plupart du temps. Comme avoir un supplément de petite enfance...
V CARROUSEL
Et puis je dois aussi t'avouer que ces derniers temps, je n'avais pas besoin de toi...
DÉSOLÉE DE TE LE DIRE COMME ÇA, MAIS C'EST VRAI
NE TE VEXE PAS, JOURNAL CHÉRI !
Mais tu dois comprendre qu'il y a un moment dans la vie d'une jeune fille, où une piste de danse est la plus efficace des thérapies...
VI POIRIER
En même temps, si tu te souviens bien, depuis que je suis toute petite, avec ma mère, on a toujours fait ça, hein... Même qu'on appelait ça :
BOUM ! BOUM ! BOUM ! BOUM ! BOUM !
DANSE DE LA JOIE !
BOUM ! Avec Mina, ces derniers temps, on a découvert qu'une boîte de nuit, c'était la même chose, mais avec 300 personnes. Et puis ça a coïncidé avec le retour en ville de Jean-Jean et Tristan. On a retrouvé un petit peu de la magie de cet été, dans la villa à la mer. Un truc assez pur, des sentiments exacerbés par les infrabasses. Pas la peine d'intellectualiser : ÇA NOUS FAIT SIMPLEMENT DU BIEN DE DANSER COMME DES IDIOTES !
BOUM ! BOUM ! BOUM ! BOUM ! BOUM ! BOUM ! BOUM ! BOUM ! BOUM !
Sauf que :
Cette belle insouciance s'est peu à peu dissolue dans des situations vues et revues... Jean-Jean et Mina, Tristan et Lou, les acteurs sont en place, le rideau peut se lever. La pièce ? Elle a déjà été jouée mille fois, et tout le monde en connaît la fin...
VII JUSTICE
HERISSON
Donc bon.
C'est un petit peu pour ça que j'ai besoin de toi, gentil journal.
Pour encore une fois essayer d'y voir un peu plus net dans tout ce flou...
TU NE M'EN VEUX PAS, N'EST-CE PAS ?

JULIEN NEEL

# L'ÂGE DE CRISTAL

Ce livre est dédié au service de chirurgie cardiaque pédiatrique de l'hôpital de la Timone.

**DU MÊME AUTEUR :**

LOU T.1, *Journal infime*
LOU T.2, *Mortebouse*
LOU T.3, *Le Cimetière des autobus*
LOU T.4, *Idylles*
LOU T.5, *Laser ninja*
LOU T.6, *L'Âge de cristal*
Éditions Glénat / Tchô! la collec'...

CHAQUE CHOSE
Éditions Gallimard / Collection Bayou

LE VIANDIER DE POLPETTE T1, *L'Ail des ours*
Scénario : Olivier Milhaud / Dessin : Julien Neel
Gallimard BD

Merci à Bertrand «Baga» Saint-Guillain.

Couleurs : Carole et Julien NEEL.

Rejoins toute la bande à Tchô! sur www.tcho.fr

http://www.myspace.com/juliendicaro

www.glenatbd.com

Tchô! la collec'...
Collection dirigée par J.-C. Camano


Dépôt légal : novembre 2012
ISBN : 978-2-7234-8426-8
Achevé d'imprimer en France en novembre 2012 par Pollina, L10801,
sur papier provenant de forêts gérées de manière durable.

ALORS...
Au début...
Ça commence...
Y'a un...
Un
...
Non.
Y'a DES...
Y'a des heu...
Des...
Pfff...
Non, c'est nul.
Qu'est-ce que t'en dis, toi?
Hey!
Alors? Ça avance?
Mwof...
GROAR!
Mais?
Au secours! Un dinosaure qui veut me manger!
GROAR!
Hou! Mais moi aussi je vais le manger!
Ram! Ram! Ram!
Hi! Hi!
Hou! Mais on dirait qu'il a fait caca, ce dinosaure!
A fait caca ce dinosaure!
Encore?

Tu manges avec nous ?
Non, faut que j'aille bosser.
Allez toi, psssht ! Vire de là !
?
Tu rentres pas trop tard, hein ?
J'ai mon truc ce soir, tu te souviens ?
Oui oui !
Je reviens en fin d'aprèm, t'inquiète !
Bye !
Alors ?
?

Ah, c'est vous !
Vous m'avez fait peur.
Ça a évolué ?
Carrément !
Les harmoniques sont presque stabilisées et il n'ya quasiment plus de bruit blanc résiduel.
Woa !
Bon.
On va bouffer ?
On va où ? Chez Logan ?
Encore ?
On va toujours chez Logan, Vous en avez pas marre ?
C'est bon et c'est pas cher.
C'est pas **SI** bon que ça.
Si.
Mais c'est surtout que t'as pas envie d'y croiser une certaine personne, non ?
...
Si tu veux, on va ailleurs, hein...
Non, ça va aller, J'peux faire un effort.
Et puis c'est vrai que c'est bon...
LOGAN

À moi : tu préfères quoi, qu'on te crève un oeil, ou qu'on te coupe une main?
Hum... L'oeil, je crois.
À moi : tu préfères mourir noyé dans du vin blanc, ou étouffé avec du roquefort ?
Haaa, c'est dur, ça. Voyons... Le vin, on va dire...
À moi : tu préfères te faire écorcher et jeter dans une cuve de gros sel, ou bien...
OH, LES MECS! VOUS FAITES QUOI, LÀ ?
C'EST FINI LA PAUSE, Y'A DES CLIENTS ! HOP! HOP! HOP! ON S'ACTIVE, LÀ !
Pfff...
C'est bon, keep cool !
Relax.
Max.
Tu prends la salle du bas ou la terrasse ?
M'en fous.
J'prends la terrasse alors. Y'a toujours plus de filles !
♪
Qu'est-ce que je vous sers?
Ah ben c'est pas trop tôt !
Alors voyons... On va prendre un grand verre de limonade, sans glace mais avec une rondelle de citron, un banana split avec la chantilly à part dans une petite coupelle, un Schweppes pamplemousse servi dans une petite chope de bière, une grande salade mixte, mais sans la salade et avec une double ration de poivrons et heu... Voyons voir...
Vous avez de la papaye ?
Je crois, oui.
J'ai horreur de ça. Mettez-moi un jus de mangue.

Vous nous rajouterez une part de pizza royale sans champignon ni jambon, mais avec suppléments fromage et maïs, un diabolo grenadine sans la paille, rallongé avec de l'eau gazeuse.
Et je crois que ce sera tout.
T'abuses un peu, avec lui, là, non ?
Oh, tu crois?
GARÇON !
Laissez tomber : on prendra trois Paninis jambon et trois cafés finalement.
OÙ IL EST ?
Hein? De qui?
Ton copain avec les cheveux tout plats bizarres, là... Popaul, ou je sais plus quoi...
Jean-Jean ?
Ouais, c'est ça.
Bah j'en sais rien, moi.
En tout cas, il est pas à son poste... Si tu le croises, tu me l'envoies, ok ?
J'vous ai à l'oeil, tous les deux.
Hé ! Psssst !
?
Il est parti ?
Jean-Jean? Mina ?
Mais enfin qu'est-ce que vous...
...Bah Mina est passée, fallait qu'on discute, alors...
Vous... discutiez ?
Oh ça va, hein ...Toi t'es bien là à faire le joli cœur en terrasse...
M'en parle pas... Devine sur qui je suis tombé ?
J'peux te prendre un panini ?
Dis donc, toi, qu'est-ce que tu fabriques? T'as une cliente là-haut qui attend ses paninis et ses cafés depuis une demi-heure !
PAF!
MAIS? QUE ?

...Et donc, ils se sont fait virer de chez Logan un peu à cause de moi qui avais fait ma peste à réclamer mes paninis...
Bon, je t'avais dit que Tristan, depuis son histoire avec la fille rousse, je lui en voulais à mort... Mais là, quand même, je culpabilise.
T'en penses quoi ?
C'est très gros, les dinosaures.
Bon.
Y'a toujours rien ?
Ça a des dents, les dinosaures.
Allez, une histoire, et au lit !
Hop!
Hop!
C'est l'histoire d'une très jolie princesse, un peu idiote, qui, depuis qu'elle est toute petite, bloque sur le même garçon stupide ...
Alors elle voudrait aller danser, pour oublier à quel point elle est bête, mais malheureusement elle doit garder le dinosaure de sa maman qui est partie dans la nuit faire un truc secret ...
Hey! Buck!
Hou! Tu m'as fait peur!
Comment tu vas?
Ça va, ça va.
Ça va super.
Tiens, je t'ai ramené le dernier.
Ah cool, merci!
Ça tombe bien, parce que celui d'avant, je l'ai déjà lu plein de fois.
Allez, je descends, moi.
Fais comme chez toi !
♫
Bip! Bip!
Gwiiiii!

GWiiiiii!
Il a soif, ce dinosaure.
Il a soif ce dinosaure.
Moi aussi j'avais soif.
C'est pratique, ce dinosaure.
Allez, hop.
Cette fois, on dort.
Hop.
CLAP.
GWiiiiii!
Je crois qu'il a encore fait caca, ce dinosaure.

Bon.
Sinon, on a qu'à essayer de leur balancer des rayons.
... Genre des lasers...
Ah ouais, pas bête.
Je sais pas, hein, c'est une idée comme ça, c'est...
Non mais c'est pas bête, les lasers...
Attends, j'appelle juste le labo pour voir si ça n'a pas déjà été fait...
BUUUZ!
Oui bonjour, excusez-moi de vous déranger, c'est le professeur Ismaël du niveau delta...
Dites, on voulait savoir : vous avez essayé de leur balancer des genres de rayons ?
Des lasers !
... Des lasers, oui...
LASER
Ils disent que ouais, mais que ça n'a rien donné de probant.
Ah mince !
Tant pis alors.
Hello hello !
Alors ?
Comment vont mes p'tits génies ?
Ah, m'sieur Henry ! Vous tombez bien !
Alors tout va comme vous voulez ? Vous vous intégrez bien et tout ?
Heu oui, mais...
C'est sympa ici, hein ?
Écoutez, m'sieur Henry, faut que je vous parle. J'ai...
Et la cantine ? Épatante, n'est-ce pas ?
Ouioui, mais...
Venez ! On va voir le truc avec les petits lapins !
Heu, en fait, depuis que je suis là, on a pas trop eu le temps de parler, et, heu... Y'a une ou deux petites questions qui me tarabustent...
Je vous écoute...
Bon ben déjà, premièrement vu que j'écris des livres de science-fiction, je vois pas trop pourquoi vous avez fait appel à moi pour...
Et pourquoi pas ?
Écoutez, ma chère : Quand ces événements mystérieux se sont manifestés, le gouvernement a fait appel à toutes sortes de consultants extérieurs pour essayer d'en comprendre le sens...
... Et à part à la mise en place de cet absurde programme de collecte de données sonores, pour l'instant, cela n'a mené à rien de bien instructif...
Ah oui, ma fille fait partie de ce machin sonore, là.
Donc, tant qu'à essayer des trucs, je me suis dit : "Henry, un peu d'audace, essayons des idées neuves, des trucs un peu dingues."
... Alors j'ai de suite pensé à vous, je leur ai proposé, et ils ont dit banco...
Ça veut dire que vous travaillez pour le gouvernement ?
Une filiale.
J'adore ce truc avec les petits lapins.
C'est trop mignon.

Non non, je t'assure : il n'y a pas un petit Batman dans ta bouche.
C'était un vilain cauchemar.
Allez, ce coup-ci, hop, et au dodo pour de bon !
Hop.
CLAP
RWAOU!
HEY! Mais fais gaffe !
Qu'est-ce qui t'arrive ?
RWAOU!
Oui, oui, ça va ...
RWAA!
Je SAIS par où est la cuisine ...
MraAo.
Voilà, voilà, calmos.
RWOU!
MIAK!
CRAK.
Hey!
Hey!
Alors ? Ça s'est bien passé ?
Ils ont failli me rendre folle, mais sinon ça va.
J'ai eu droit au verre d'eau, à deux pipis, à une souris morte, à un caca et au coup des croquettes. La routine, quoi... Et toi ?
Bah, j'ai réussi à parler deux secondes à monsieur Henry, mais je suis pas beaucoup plus avancée. Je comprends toujours pas trop ce qu'il ...
Tu sors ?
J'ai super envie d'aller danser.
À cette heure-ci ? Mais ... le soleil se lève dans quelques heures à peine ...
Raison de plus pour que je me dépêche !
Mais ...
Allez, bisou !
Bisou.

Le soleil !
Le soleil de quand on était petites !
Le soleil de quand on allait à l'école !
De quand t'avais des pantalons à fleurs ...
Ah oui !
Des fleurs là, en bas !
Je me souviens, j'avais fait ça !
J'aimais bien ce pantalon.
Ce soleil, c'est devenu le soleil de quand on va se coucher !
J'aimais bien quand on était petites ...

J'en ai marre de tous ces jeux, là, avec les garçons... J'adore la danse et la musique, mais toute la comédie qui va autour, ça m'ennuie de plus en plus ...
Ah ?
Moi j'aime bien ...
Ouais moi aussi en fait.
Hahaha!
Tiens, on est devant chez moi.
Ah oui.
Bon ben j'rentre alors.
Bise.
Bise.

Ah, ouf, t'es rentrée !
Ouf !
Je viens de voir un garçon très beau.
Mais alors : très très beau !
Super super !
Tu peux me garder ton frère ?
Lou !
Hein ?
Mais ?
Combien de temps ?
Mm...
Genre deux, trois heures.
Quatre maxi.
QUATRE HEURES ?
Mais ... J'allais me coucher, là !
JE SUIS DÉSOLÉE !
Ça c'est ton nez.
C'est les gens de l'adaptation de mon bouquin en comédie musicale sur glace. Ils veulent que j'assiste à une audition, il paraît qu'il y a un problème et ...
Avec toi, y'a TOUJOURS une bonne excuse. Quand c'est pas le gouvernement, c'est le show business ...
Ça c'est ta bouche.
Tu m'en veux énormément ?
Tout à fait.
Lou ! Lou ! Lou ! Lou !
BYE !
Lou ! Lou !
On a qu'à jouer à "je suis cachée sous la couette et tu fais semblant de me trouver".
Ok ?
Et je te mange après ?
Si tu veux.

Mais qu'est-ce qui se passe ici ?
AH, ENFIN VOUS VOILÀ !
Qui vous êtes ?
Je suis Groseille, votre assistante.
Ah oui.
Je me souviens.
Mais qu'est-ce qui se passe ici, heu...
...Groseille ?
Le patineur qui joue le prince Fulgor vient de se casser la jambe.
Il a glissé.
Du coup on est obligés de faire un casting express.
Elle est où Lou ?
Elle est LÀ !
Hey
Je vais te MANGER !
Non ! Pitié ! NON !
Ramramramram !
Au secours ! Un dinosaure me bave dessus !

Troublant...
LE CINQ!
POURQUOI TU FAIS TOMBER MA COMPOTE ?
Quelle compote ?
Ah oui! Ta compote.
Hmm.
J'ai une idée GÉNIALE!
On va faire LA SIESTE!
OK!

Vous êtes vraiment sûre, chef ?
il est PARFAIT !!!
POF POF
il a un problème à l'œil, non ?
Bah ! Un peu de maquillage...
La ressemblance est frappante...
Avec le prince Fulgor ?
Pas uniquement.

C'était comment, la répète, aujourd'hui ?
Y'a un nouveau.
Et ce soir, tu vas à ton truc top-secret du gouvernement ?
Non, c'est fermé le lundi.
Du coup, tu peux aller danser plus tôt si tu veux.
Pas envie.
J'vais aller faire des relevés.
Avec ton casque et ton bazar, là ?
Oui.
Dans la nuit, comme ça ?
il paraît que c'est encore mieux, rapport aux ondes.
Bah moi je vais dormir.
C'est mon tour.
Bye !
Fais gaffe quand même.
Gaffe à quoi ?
J'en sais rien.

Ces harmoniques !
Je n'ai jamais entendu quelque chose d'aussi doux !
Ça vient de par là-haut...

B... Bonsoir ...
Lou ?
Oh, ça alors !
Marie-Émilie ?
Sophie ?
Quelle bonne surprise !
Hello hello !
C'est marrant de vous voir comme ça toutes les deux ...
Pourquoi ça ?
Bah heu ... Je sais pas ...
Mais qu'est-ce que vous faites là exactement ?
Nous communiquons avec le cristal !
Tu n'as pas senti ?
Les vibrations ...
Si ! J'ai relevé des formes d'ondes sinusoïdales assez inhabituelles !
Pourquoi vous riez ?
T'es comme mon père, t'as besoin de ces trucs scientifiques !
Henry n'a jamais su comment regarder les choses !

T'as pas besoin de ça, j'te jure, pour capter la fréquence !
Mets ta main là !
Laisse-toi aller !
Non mais c'est ridicule, je ...
Respire ...
Ferme les yeux !
Bon ...
Ok ...

Marie-Émilie ?
So...
Sophie ?

Vos amies sont parties depuis un moment déjà.
Mais ... Je vous reconnais ! Tu es le garçon d'hier matin !
Enfin de ce matin ...
Je sais plus trop ...
En tout cas, oui, c'est moi.
Qu'est-ce que tu lis ?
Un bouquin sur l'hypnose.

Et heu... C'est intéressant ?
Y'a des trucs pas mal...
Mais tu n'y comprendrais rien.
Bon...
... Ben je vais y aller, je vais chercher mes copines, alors...
Oh ? Tu t'en vas ?
On commençait juste à s'amuser !
Si tu veux, je t'accompagne.
J'veux bien, en fait...
J'suis complètement paumée, je crois bien...
C'est la première fois que tu viens ?
Oui, il me semble...
Je suis complètement paumée et, en même temps, j'ai l'impression de bien connaître cet endroit...
Et toi aussi d'ailleurs, j'ai l'impression de bien te connaître.
C'est normal, on est dans la même classe.

Je ne t'ai jamais remarqué, c'est bizarre... Mais bon... Je ne vais presque plus en cours depuis...
Depuis que...
Et c'est grâce aux résultats recueillis par les bénévoles, que je remercie au passage, que nous sommes en mesure d'entamer cette nouvelle série d'analyses complémentaires en laboratoire...
Marie ?! T'es là ?
Bah oui. Mais je te jure que je préfèrerais être ailleurs !
J' fais pas des études pour écouter toute cette foutue propagande du gouvernement. Pour ça, c'est bon, j'ai déjà mon père à la maison...
Je n'y comprends rien.
Je t'avais prévenue !
On mange ensemble ce midi ?
LOGAN

À moi : tu préfèrerais être écartelé ou bien traîné derrière une voiture de course ?
Écartelé à quelle vitesse ?
Très lentement, évidemment...
La voiture de course alors.
Ça va ? On n'a pas été trop longs ?
Ah non, parfait !
Vous permettez qu'on s'assoie avec vous ?
Oui oui, allez-y !
il reste encore une place à côté de vous, mademoiselle ?
Mina?
Mais enfin, monsieur... Qui êtes-vous ? On ne se connaît pas !
Je suis celui qui vous a envoûtée et qui va dérober votre cœur sans même que vous en ayez conscience !
HAHA ! Sacré Jean-Jean !
On les changera pas, ces deux-là !
Mon Joujou !
Ma Mimolette !
Vous... Vous vous connaissez ?
HAHAHAHAHAHA !
Je suis la seule à trouver tout ça un petit peu étrange ?
HiHi !
HiHiHiHi !
HiHiHiHi !

Bon, excusez-moi, les amis, mais je rentre chez moi, je vais pas bien du tout, faut que je dorme un peu.
BRAAA!
BRAA
RAMRAMRAMRAMRAMRAMRAM!
Ffiou!
LOU!
T'étais où, Lou ?
À l'école, je crois.
Tout a l'air normal ici...
Je suis un dinosaure.
Mais?
Que?

MAMAN ?
Hey !
Hey !
Ha !
Ah oui, tu comprends rien, forcément ...
Laisse-moi t'expliquer ...
Voyons voir ... Ah oui ! Voilà : en fait, ce qui se passe, c'est qu'on a eu besoin d'un comédien pour remplacer celui qui jouait le prince Fulgor.
Au pied levé, si j'ose dire ...
... Vu qu'il s'est cassé la jambe !
... Et là, on a eu la chance de tomber sur Gjord, qui présente une ressemblance ha-llu-ci-nan-te avec le personnage ...
Jag förstår inte !
... Malheureusement, il danse comme une patate, tient à peine sur ses patins et ne parle presque pas notre langue ...
Gjord !
Je Suède ...
Et là, Framboise a eu une idée géniale ...
Ah oui ! tu connais pas Framboise ...
Framboise est mon assistante ...
Groseille.
C'est Groseille.
... Je vais assurer MOI-MÊME la formation de Gjord grâce à ces patins à roulettes !
Bon, sur les dalles, là, ça marche pas super, c'est un peu casse-gueule, mais enfin ...
Qu'est-ce que tu en penses ?
Qu'est-ce que j'en pense ?

Attends, tu permets, j'aimerais te le dire en privé, ce que j'en pense...
Myrtille, vous pouvez vous occuper de Fulgor deux petites secondes ?
Groseille.
C'est Groseille.
J'ai fait caca.
Je vous l'emprunte, "Gjord"...
Förlåt.
Alors...
Ce que j'en pense...
Voyons voir...
CLAC !
J'en pense, déjà, que t'es complètement malade...
Hein ?
Non mais on est d'accord, "Gjord", c'est Richard, non ?
Y'a de fortes chances, oui...
Enfin... Au début, j'étais sûre que c'était lui, oui... Mais il est fort, il joue le jeu à fond, quoi...
Non mais attends... C'est LE PÈRE DE FULGOR ! Il a fui avant sa naissance pour s'enfermer dans une graoute, et là il revient après tout ce temps, déguisé en Suédois pour postuler au rôle du prince Fulgor, son alter ego dans TA comédie musicale, et...
OUI.
On est d'accord, ça tient pas debout...
C'est bien pour ça que je lui accorde le bénéfice du doute... C'est peut-être bel et bien son sosie suédois, après tout...
Ou alors, si c'est VRAIMENT Richard, c'est qu'il est devenu complètement fou dans sa graoute et qu'il a monté ce plan absurde pour nous revoir...

Ou alors c'est un autre Richard...
... qui vient d'une autre dimension.
Non ! Ça, c'est de la science-fiction.
Oui, mais justement, ça rejoint un peu un truc sur lequel je travaille en ce moment...
Pour ton nouveau bouquin ou pour le spectacle ?
Non. Pour mon truc top-secret du gouvernement, avec les cristaux et tout...
Tu travailles sur un truc avec des univers parallèles ?
Non, pas vraiment, c'est heu... plutôt une sorte de heu... d'altération de la réalité...
Remarque, oui, ça expliquerait peut-être pas mal des trucs qui me sont arrivés ces derniers temps...
Enfin, je sais pas ... Mais... Tout me semble vraiment super bizarre, comme s'il manquait des choses ou qu'elles étaient dans le désordre...
Oui, ça concorde pas mal avec ma théorie...
Tu veux boire un truc ?
KSHi
il n'empêche que t'es complètement malade d'avoir amené ce pseudo-Richard à la maison...
T'as pensé à Fulgor ?
Oui, justement ...
Viens voir...
Je voulais vérifier un truc : pseudo-Richard n'a eu aucune réaction en voyant Fulgor pour la première fois...

C'est bientôt la nuit...

Encore ?

Bah... Normal, quoi...
Oui...
Normal...

Heu... Vous trouvez vraiment ça normal, vous ? Je veux dire, en ce moment, ces choses qui se passent autour de nous...

On s'adapte.

DOGS'

Ah ben tiens, qui voilà ...
Je l'aurais parié.
T'as pas l'air heureuse de me voir...
Non, mais jusqu'ici j'avais passé une bonne soirée normale.
C'était chouette...
Ça ressemble à quoi, une de tes soirées normales ?
Je suis allée acheter un chiot avec mon ami l'homme raisin.
Oui, je sais, raconté comme ça, c'est ...
J'ai rien dit.
Bonsoir quand même.
Bonsoir à toi.
On marche un peu ?
Mais t'as pas peur que ça devienne anormal, ta soirée, si on marche ensemble ?
Je m'adapterai.
Tu me dragues ou quoi ?

Je te raconte pas la honte...
Bah si, raconte, j'suis là pour ça...
il s'est passé quoi, après ?
Hmm...
Rien de spécial, je me souviens pas...
Ça me rappelle au début, tu te souviens, avec Tristan, dans ton ancien appart' ?
Pff... Rien à voir...
T'es pénible, t'es pleine de nostalgie...
Non, c'est marrant, l'histoire se répète encore et encore...
Ça tourne un peu en rond, c'est tout...
Oh ça va, hein ! Dans le genre en boucle, Jean-Jean et toi, vous êtes un peu les champions du monde !
Vous en êtes à combien ?
Trente-six ruptures ?
Pfff... Mais nous, on s'amuse, c'est pas la même chose...
... Et puis en plus, ça fait trente-cinq premiers baisers, c'est toujours ça de pris...
Qui te dit que je ne m'amuse pas, moi aussi ?
C'est dans ta nature, tu te prends la tête...
File la glace.
Crève !

Donc, si je comprends bien, tu penses qu'en l'exposant aux cristaux, il risque d'entrer en résonance avec son alter ego d'une autre réalité ?
Oui. Ça te semble idiot ?
Non, non, ça se tient... Mais... Pourquoi les lapins ?
Pour pas trop qu'il s'embête...
Et c'est ton ex ?
C'est ça.
Enfin c'est soit son ex, soit son Suédois parallèle.
... Et qui est cette charmante demoiselle ?
Hey ! Monsieur Henry !
... Je vous présente mon assistante qui a un nom de fruit.
... Groseille, c'est Groseille...
Bienvenue au service de recherches top-secret !
Alors qu'est-ce que vous nous préparez en ce moment ?
Oh c'est une petite expérience de rien du tout et d'ailleurs, j'aurais bien aimé avoir votre avis sur...
C'est PARFAIT.
Un détail cependant :
... Rajoutez encore quelques petits lapins.

JE SUIS DE BONNE HUMEUR !
Hein ?
Wow... Quelle heure il est ?
MiNA ! Je suis de bonne humeur !
Et moi je dors.
Hmmm...
Allez ! On va se prendre un p'tit déj dehors ?
Dis à ton frère de descendre de mes fesses.
C'est une montagne !
M'man ?
T'es rentrée ?
Bon, vous êtes habillés ?
On y va ?

Borta är bra, men hemma är bäst !
Je crois qu'il veut rentrer chez lui ...
Et puis quoi encore ?
Est-ce que vous voulez rentrer chez vous, vous, ma brave Cerise ?
Groseille.
Presque.
En fait, oui, j'aimerais beaucoup rentrer chez moi.
Ah bon ?
Mais pourquoi vous ne me l'avez pas dit plus tôt ?
Vous ne me l'avez pas demandé ...
Rha mais c'est bête, ça, fallait me le dire ... Je sais pas comment ça fonctionne, moi ...
C'est tout le show biz, ça : ils vous donnent une assistante et ils expliquent même pas comment on s'en sert ...
J'suis pas en colère contre vous, hein ...
Vous y êtes pour rien, ma grande.
Merci madame.
Bon ! Bah allez vous coucher, qu'est-ce que vous voulez que je vous dise ?
Toi aussi, le pseudo-Suédois parallèle ! Du balai, je t'ai assez vu !
Ouste !
Jag förstår inte !
Je deviens comme ma mèèèèèère...

Voilà Maman !
Où ça ?
Là-bas !
MAAAA-MAAAN !
On est lààà !
Hey !
Préparez les tartines, j'arrive !
Comment ça se passe en ce moment, le boulot ?
Ça stagne un peu...
Mes expériences ne donnent rien de très concluant...
Tu manges ta tartine, toi.
Et toi ? Les cours ?
Depuis quelque temps, j'y ai repris goût, figure-toi...
Depuis que...
...Hélas, les analyses des données que certains d'entre vous ont eu la gentillesse de collecter se sont avérées particulièrement inutiles... Nous allons donc sérieusement revoir tout le protocole de retransmission des ondes...

Ça te fait ça, toi, des fois, des impressions de déjà-vu ?
Attends : c'est quoi le truc ?
Le truc ?
Bah oui, tu me dis ça pile au moment où je suis en train d'avoir une de ces impressions de déjà-vu !
Nooon ?
Quelle coïncidence...
Coïncidence mes fesses !
C'est quoi le truc ?
Les magiciens ne sont pas censés révéler leurs trucs...
Qu'est-ce que t'as dit à propos de tes fesses ?
Laissez tomber.
LOGAN
J'en étais SÛRE !
De quoi ?
...Qu'on viendrait manger ici !
LOGAN
On vient TOUJOURS manger là le jeudi après le cours de physique...
On aurait pu CHANGER.
Et pourquoi on changerait ?
Oui, je sais : c'est bon et c'est pas cher.
On a déjà eu cette discussion.
Hein ?

... Dans ce cas-là, je choisis la baignoire pleine de scorpions.
Oh, ça alors, qui voilà ?
Ça va ?
Oh ! Salut !
C'est quoi cette histoire de scorpions ?
Oh, rien, on se demandait : tu préfères être plongée dans une baignoire de scorpions ou dans un chaudron d'huile bouillante ?
Moi : l'huile.
Direct.
T'es fou !
Les scorpions !
Les scorpions !
L'huile !
L'huile !
Les scorpions !
Les amis, je suis désolée. Je vais encore devoir vous laisser, mais je crois bien que cette discussion ne m'intéresse absolument pas.
On se voit plus tard, de toute façon.
Irrémédiablement.
Bises.
Hein ?
Elle est crevée en ce moment, non ?
Je deviens comme ma mèèèère...
LOU !
Guichet 7
C'est gentil à toi de m'accompagner.
Ça ne va pas poser de problème à ton travail ?
Pff... Ça serait pas la première fois que je me fais virer d'un Logan !
Mademoiselle ! C'est à vous !
Votre numéro de compte et votre code secret, je vous prie.

Ça faisait une éternité que je n'avais pas relevé ma boîte...
Faut dire que c'est devenu plus galère.
Vous avez quatre nouveaux messages...
...dont deux publicités.
TÉLÉGRAPHE PUBLIC
De bonnes nouvelles ?
Mmm...
Oui, enfin...
Celui-là vient de ma grand-mère...
Une série de reproches et de gentillesses mélangés, mais je suppose que ça veut dire qu'elle va bien...
Et l'autre ?
L'autre quoi ?
L'autre message ?
Paul.
Ah, Paul...
L'homme de ta vie...
Je te demande pardon ?
Non rien, j'ai rien dit, laisse tomber.
Non mais si, continue... Ça m'intéresse...
Surtout venant de toi...

Bah je sais pas, toi et moi, depuis qu'on est petits, c'est compliqué...
Compliqué ?
Bah oui, enfin...
Tu vois très bien ce que je veux dire, je te connais bien, tu sais...
Toutes ces années passées caché derrière mes rideaux à t'espionner quand nous étions voisins...
Heu... Non, c'est moi qui t'espionnais à l'époque, je te rappelle.
La pire espionne de l'univers !
Tu crois que je ne t'avais pas remarquée ?
Tu crois que j'étais vraiment aussi idiot, et que je ne me rendais pas compte de tes stratagèmes tordus ?
J'étais comme toi, j'avais des carnets moi aussi, figure-toi, avec des photos et tout...
J'étais juste assez malin pour que tu ne t'en rendes pas compte...
Mais... Comment ça se fait que tu n'aies jamais osé...
Enfin que ça n'ait jamais...
entre nous...
Paul.
Tu as rencontré Paul, et cet été-là...
... un truc a changé dans ton regard...

Marie ! Sophie !
Hey ! Lou ! C'est amusant, nous étions en train de parler de toi !
Oui, je lui racontais qu'en ce moment t'avais pas l'air dans ton assiette...
Pas vraiment, non... Enfin...
J'en sais rien, en fait, justement, c'est pour ça que je vous cherchais...
Nous ? Mais quelle drôle d'idée !
Bah j'en sais rien, vous êtes devenues inséparables, vous avez l'air de comprendre des tas de trucs à propos des cristaux, des dimensions et tout ça...
... Et puis vous avez des super ponchos roses ...
Je ... Je comprends pas ... Qu'est-ce que tu attends de nous exactement ?
Des réponses.
Des réponses à quelles questions ?
C'est... C'est assez compliqué, j'arrive pas à formuler ce que je ...
Bon, ben alors, il est où le problème ?

...Et puis franchement, si tu crois que quelqu'un peut répondre à des questions que tu n'arrives même pas à te poser, juste parce qu'il porte un poncho rose, t'es pas près de t'en sortir !
Je crois que j'ai compris...

Café

Hey!
Hey! Qu'est-ce que tu fais ici?
Coïncidence!
Je te pique ton croissant.
CROMF
CROMF
T'es pas ENCORE en train d'essayer de me...
Chhhht!
Tais-toi.
Je t'embrasserai demain.
...Peut-être.
ROAAAARR!
Au secours! Un dinosaure!
Non. Je suis une voiture de course maintenant.

Hey!
Hey!
Roaaar!
Je suis crevée.
Je m'en doute.
Ça va, toi ?
Bah, les répétitions du truc sur glace se passent plutôt bien...
Grâce à Mirabelle ...
Gjord se débrouille de mieux en mieux.
Tu en sais un peu plus, au fait, à son sujet ?
Bah mon approche scientifique avec les réalités parallèles n'a rien donné, j'suis déçue...
Enfin bon, c'est pas grave. Du coup j'ai une autre théorie !
Hmm ?
Un schéma avec des destins entrelacés qui forment des motifs fractals de distorsion de l'univers...
Faut que je fasse des tests.
Et sinon, une bonne nouvelle : j'ai presque fini mon bouquin !
Là, j'en suis au dernier chapitre, et...
Tu dors ?
Bon...
Voyons voir...
Alors ...
À la fin ...
Ça se termine ...
J. NEEL · 2012 · Aix ·

Retrouvez-moi chaque mois dans
tchô!
LE MÉGAZINE

Des cartes ?
X INSTINCT
G SCIENCE
Hein ?
Tu dois te demander, cher journal, ce que c'est que ces cartes bizarres que je t'ai collées un peu partout.
C'est un truc que j'essaye en ce moment.
Je me suis vaguement inspirée des tarots, et puis j'ai trouvé ça plus amusant de faire mon propre jeu.
À QUOI ÇA SERT ?
Ça sert à réfléchir, je crois.
Enfin... J'ai fait ça en remarquant qu'il y avait des choses, des thèmes, qui revenaient tout le temps, dans la vie, dans les livres...
Pour moi, chacune de ces cartes est liée à plusieurs de ces choses.
Et dès qu'on en aligne plusieurs, ça fait dans la tête comme une drôle de petite histoire.
DOUTE CONFORT ÉGAREMENT
CRÉATION SENSUALITÉ IMPROVISATION
DÉGUISEMENT INNOCENCE CACA
SUPERFLU SAGESSE NOURRITURE
CYCLE ALTERNANCE PASSION
ÉQUILIBRE CONSTANCE RENOUVEAU
VIOLENCE ADAPTATION STABILITÉ
REJET PROTECTION VIEILLESSE
OUVERTURE FUSION TRANSFORMATION
PERSÉVÉRANCE FOI MÉTHODE
SOLITUDE INVISIBILITÉ DÉVOUEMENT
SOUS-VÊTEMENT SILENCE MYSTÈRE
CONNAISSANCE DÉSIR ILLUSION
AVENTURE MUSIQUE MANQUE
ÉTERNITÉ JOIE BÊTISE
SINON, ON PEUT AUSSI S'EN SERVIR POUR JOUER À LA BATAILLE SUBJECTIVE : CELUI QUI A LA CARTE LA PLUS COOL REMPORTE LE PLI...
N'IMPORTE QUOI !
En fait, un jour, je me suis dit que le monde, c'était une sorte de puzzle.
Chaque pièce n'avait de sens que lorsqu'elle était reliée aux autres.
C'était intéressant, j'ai traversé une phase où je me suis mise à transformer en puzzle tout un tas de trucs : des dessins, les photos que mes amis m'envoyaient...
Mais quelque chose me gênait dans cette allégorie du puzzle : chaque pièce a UNE SEULE place possible !
C'est pour ça que j'ai laissé tomber et que je suis partie sur ce concept de cartes.
X FRUIT
XII CYCLOPE